Pitou
Pouf

Incroyable, mais vrai ! Pouf, le petit chat blanc si gourmand de tartines et de lait, est en retard pour le petit déjeuner aujourd'hui.

« Ça ne lui est encore jamais arrivé ! s'étonne Caroline. Qu'a-t-il bien pu se passer ?

— Il a sûrement fait la grasse matinée », suppose Youpi.

Imprimé et relié en Italie par Milanostampa
Dépôt légal : 15530 octobre 2001
22-10-2532-12/4
ISBN : 2-01-013356-0
Loi n°49-956 du 16 juillet 1949
sur les publications destinées à la jeunesse

PIERRE PROBST

Caroline

DETECTIVE

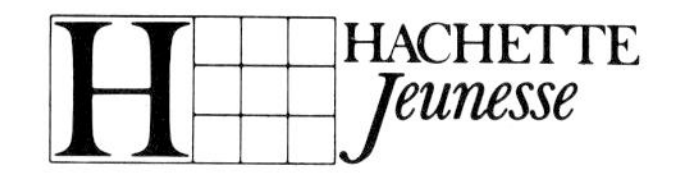

HACHETTE
Jeunesse

Mais non ! Pouf n'est pas dans son lit. Il n'est pas plus à la cave, au grenier, au rez-de-chaussée… C'est affreux ! Pouf s'est volatilisé !

« Il faut le retrouver. Menons une enquête ! » dit Caroline déjà coiffée de la casquette de Sherlock Holmes, le célèbre détective.

« Que chacun prenne une photo de Pouf. Moi, j'emporte ma loupe pour retrouver sa trace… »

Et l'enquête commence aussitôt.

« Monsieur le chat, auriez-vous vu Pouf ? demande Bobi en montrant la photo de son ami.

— Non ! Et arrêtez de me déranger ! Moi, je fais ma sieste !

— N'insistons pas, murmure Kid. Ce chat de gouttière est toujours de mauvais poil. Et il exagère ! Faire la sieste à neuf heures du matin, c'est insensé ! »

TOUT POUR LE CHIEN - TOILETTAGE
AVIS DE RECHERCHE
concernant
un chat blanc
nommé Pouf
signe particulier
porte un
nœud papillon
VILLE PROPRE

« Madame, s'il vous plaît, vous n'auriez pas vu ce chat blanc ? demande peu après Bobi poliment.

— Non, mais il est bien mignon. Il ferait très bien dans mon salon...

— Moi, dit un motocycliste, j'ai failli en renverser un qui lui ressemblait comme deux gouttes d'eau... »

C'est alors que Boum pousse un cri. Là, cette queue qui dépasse du landau... ne serait-ce pas celle de Pouf ?

Boum ne fait ni une ni deux : vite, il tire sur la queue et... se retrouve avec une peluche dans la patte !

« Petit garnement ! crie la maman du bébé. En voilà des vilaines manières ! »
Pauvre ourson : il est tout piteux et explique son geste du mieux qu'il peut.

A cet instant on voit Pipo courir derrière un autobus, criant et gesticulant : « Pouf, je l'ai vu ! il est assis dans le bus ! c'est bien lui ! je l'ai reconnu ! »

Hélas ! le bus va trop vite, tourne au coin de l'avenue et disparaît avec le chat blanc. Quelle déception !

Mais le découragement ne dure pas longtemps…

« J'ai retrouvé la trace de Pouf ! crie Caroline. Il a marché dans le bitume encore tout frais ! »

« Il a dû avoir chaud à la plante des pattes ! » rit Youpi.

Loupe en main, Caroline suit les empreintes et, enfin, entre dans un grand magasin…

Là, un petit chat blanc ressemblant étrangement à Pouf descend l'escalator pendant que Caroline et ses amis montent au premier étage.

« Pouf ! hurle Bobi.

— Pouf ! répète Boum. Attends nous ! »

Mais le petit chat blanc ressemblant étrangement à Pouf ne réagit pas. Est-il sourd vraiment ? Ou bien fait-il semblant ? Plus personne ne comprend...

QUINZAINE
DU
NOEUD PAPILLON
ESCALATOR
EN
PROMOTION
LES 3

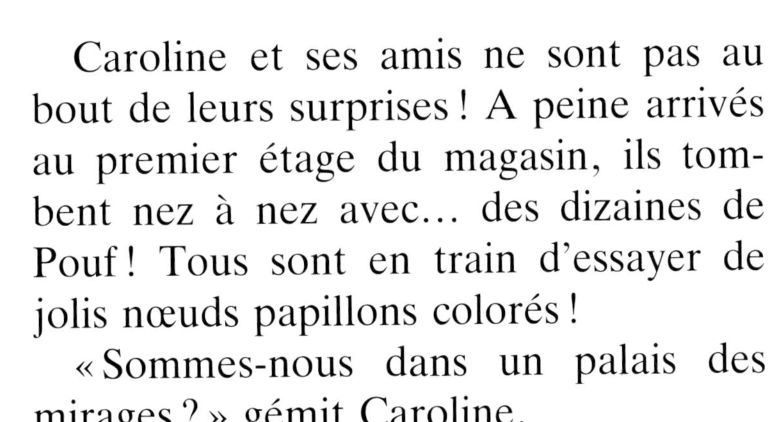

Caroline et ses amis ne sont pas au bout de leurs surprises ! A peine arrivés au premier étage du magasin, ils tombent nez à nez avec... des dizaines de Pouf ! Tous sont en train d'essayer de jolis nœuds papillons colorés !

« Sommes-nous dans un palais des mirages ? » gémit Caroline.

Et, boum ! elle tombe sur un tabouret, à demi évanouie.

THEATRE

Un verre d'eau a remis Caroline sur pied.

« Raisonnons maintenant, dit-elle. Puisque Pouf n'est pas unique en son genre, c'est qu'il a des frères ! Mes chers amis, c'est élémentaire ! Et s'ils achètent tous des nœuds papillons, c'est qu'ils ont une bonne raison...

— Tu es géniale ! s'exclame Noiraud admiratif. Et si je suis bien ton raisonnement, notre enquête repart à zéro.

— C'est évident, mon cher Noiraud ! »

A cet instant, une brave dame fait repartir l'enquête : elle a aperçu un chat blanc sur le manège...

Youpi bondit sur le manège, saute au volant d'un bolide. Et en avant pour rattraper le chat cavalier !

« Gros bêta ! crie Caroline. Ton bolide tourne à la même vitesse que le cheval ! Et d'ailleurs, tu vois bien que ce cavalier n'est pas Pouf. Il nous aurait déjà sauté au cou ! »

3 TOURS
1 gratuit
NE PAS MONTER
EN MARCHE
ORCHESTROPHONE

Caroline sursaute soudain. Qui vient de parler de Pouf ? Elle regarde d'un côté, de l'autre… Et la voilà partie pour le théâtre de Guignol où, sans hésiter, elle interrompt le spectacle.

« Guignol ! appelle-t-elle. Tu parlais du célèbre Pouf ! Dis-moi où il est !

— Hi ! Hi ! Hi ! Tu ne le sauras pas ! Tu n'as pas payé ton ticket d'entrée.

— Gnafron, toi, dis-le moi, insiste Caroline.

— Pas question ! Si je te le disais, tout le Congrès le saurait !

— Le Congrès ? répète Caroline. Quel Congrès ?

— Celui des chats blancs ! » révèlent en chœur les petits spectateurs à qui, justement, Guignol et Gnafron venaient d'en parler.

Youpi ! L'enquête va s'achever ! Dans deux minutes, pas une de plus, Pouf sera retrouvé !

THÉATRE
DE
GUIGNOL

Dans deux minutes ? Ce n'est pas sûr. Car le contrôleur du Congrès exige de Caroline son invitation et même son nœud papillon.

« Pouf est mon ami ! s'emporte-t-elle. Et pour le voir, je n'ai pas besoin de ces accessoires !

— Bon, bon... Entrez ! Mais en posant votre casquette, et sans bruit ! Les chats blancs élisent leur président... »

ENTRÉE
PALAIS DES FÊTES
SALLE DES CONGRÈS
20 JUIN
1er CONGRÈS
INTERNATIONAL
DU CLUB DES
CHATS BLANCS
ÉLECTION DU
PRÉSIDENT
TENUE EXIGÉE :
NŒUD PAPILLON
CONTRÔLE
SÉCURITÉ

A peine arrivée dans la salle, Caroline reconnaît Pouf ! Il est le plus beau des chats blancs, assurément !

« Tu aurais pu nous prévenir ! gronde-t-elle.

— Mais je vous avais laissé un mot sous la porte ! »

Caroline n'a pas le temps de répliquer. Car...

…Pouf se tourne vers l'assemblée et dit bien fort :

« Et si notre président était une présidente cette année ? »

Aussitôt tous les chats applaudissent Caroline et l'élisent à l'unanimité présidente de leur Club.

Quel grand honneur pour la petite détective !

Bobi
Kid
Noira.
Youpi
Boum